黄庭堅墨蹟選

彩色放大本中國著名碑帖

孫寶文 編

上海辭書出版社

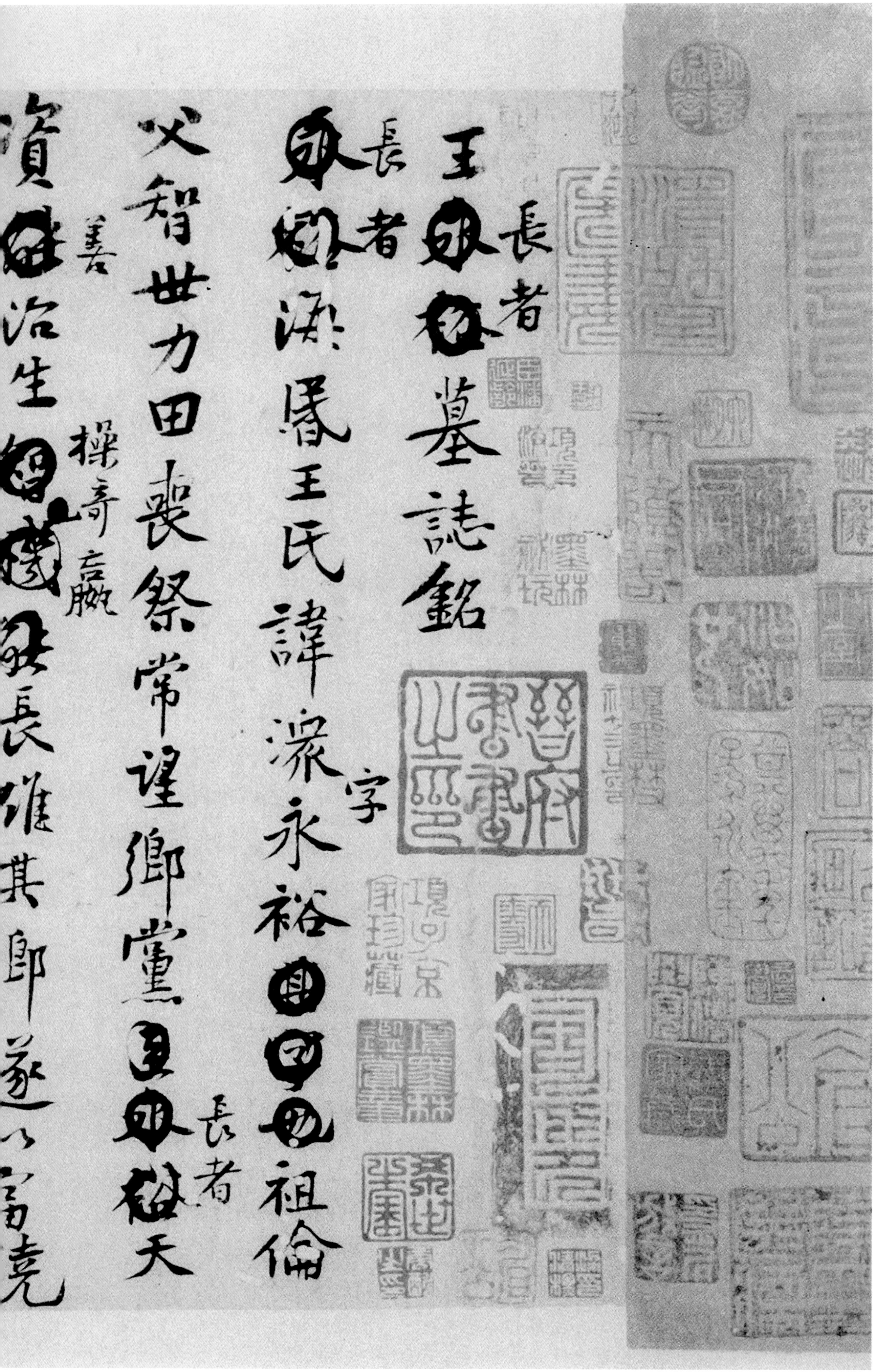

王長者墓誌銘

長者海昏王氏諱濼字永裕祖倫父智世力田喪祭常望鄉黨長者天資善治生操奇贏長雄其鄉遂以富饒築館聚書居游士化子弟皆爲儒生則以其業分任諸子獨徜徉於方外道人雲居了元東林常揔皆攝杖屨往游其藩元祐丙寅正月辛卯終焉享年六十有二前此三年自築丘於青山之西原松檜成列矣去十月過存里中親好相勞苦勸戒

無館聚書居游士化子和皆為儒生則
以其業分任諸子周從道與獨徜徉於
方外雲居道人道人了元東林道人常總皆
攜杖屨往游其藩元祐丙寅正月辛
焉
卯終於歸卞享年六十有二前此三年
自營宅兆於青山之西原葬丘松檜成列矣
存中
去十月往過里人親好相勞苦勸戒

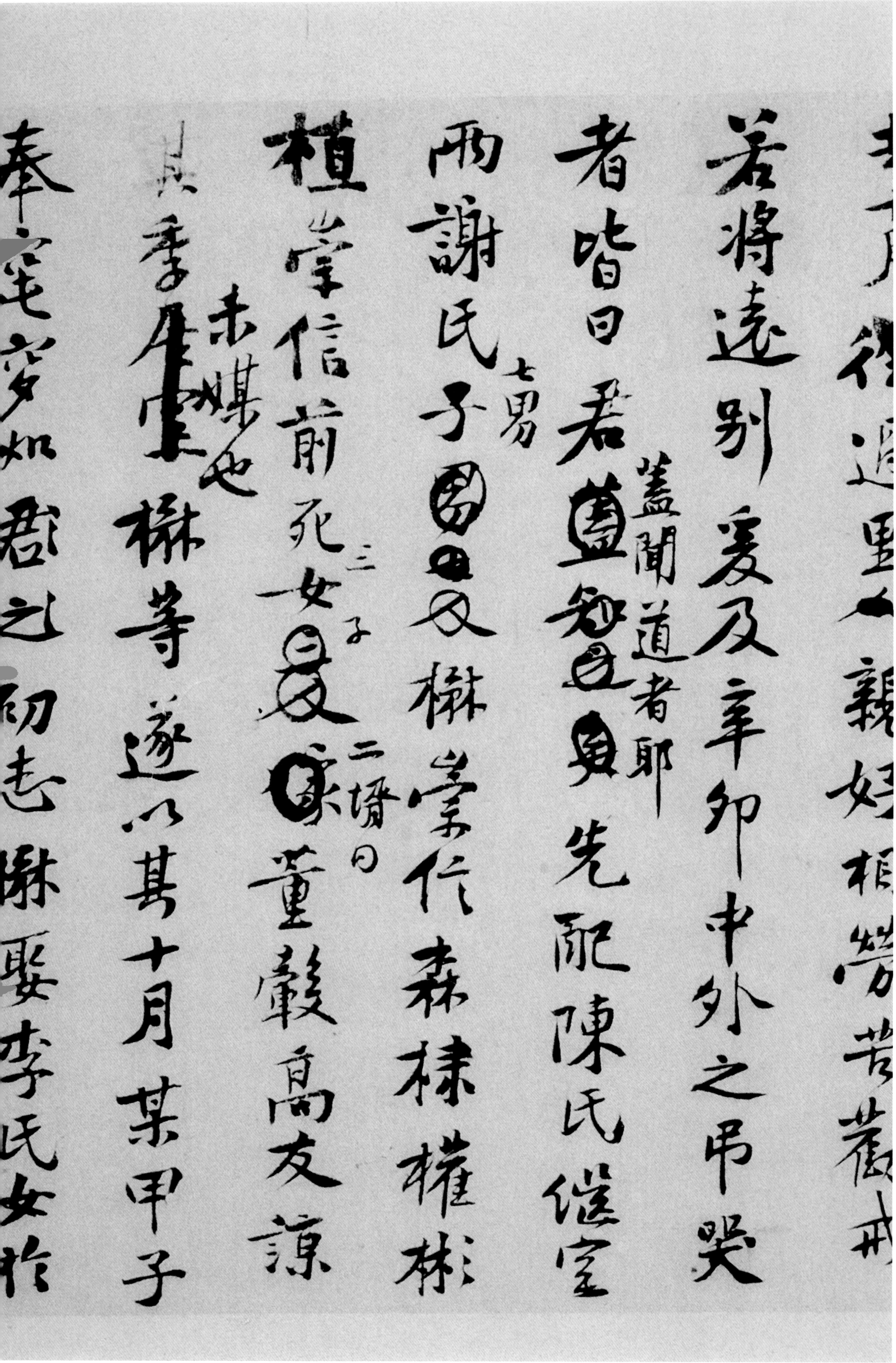

若將遠別爰及辛卯中外之吊哭者皆曰君蓋聞道者耶先配陳氏繼室兩謝氏七男子楙崇信森棣權彬植
崇信前死三女子二婿曰董轂高友諒其季未媒也楙等遂以其十月某甲子奉窆穸如初志楙娶李氏女於

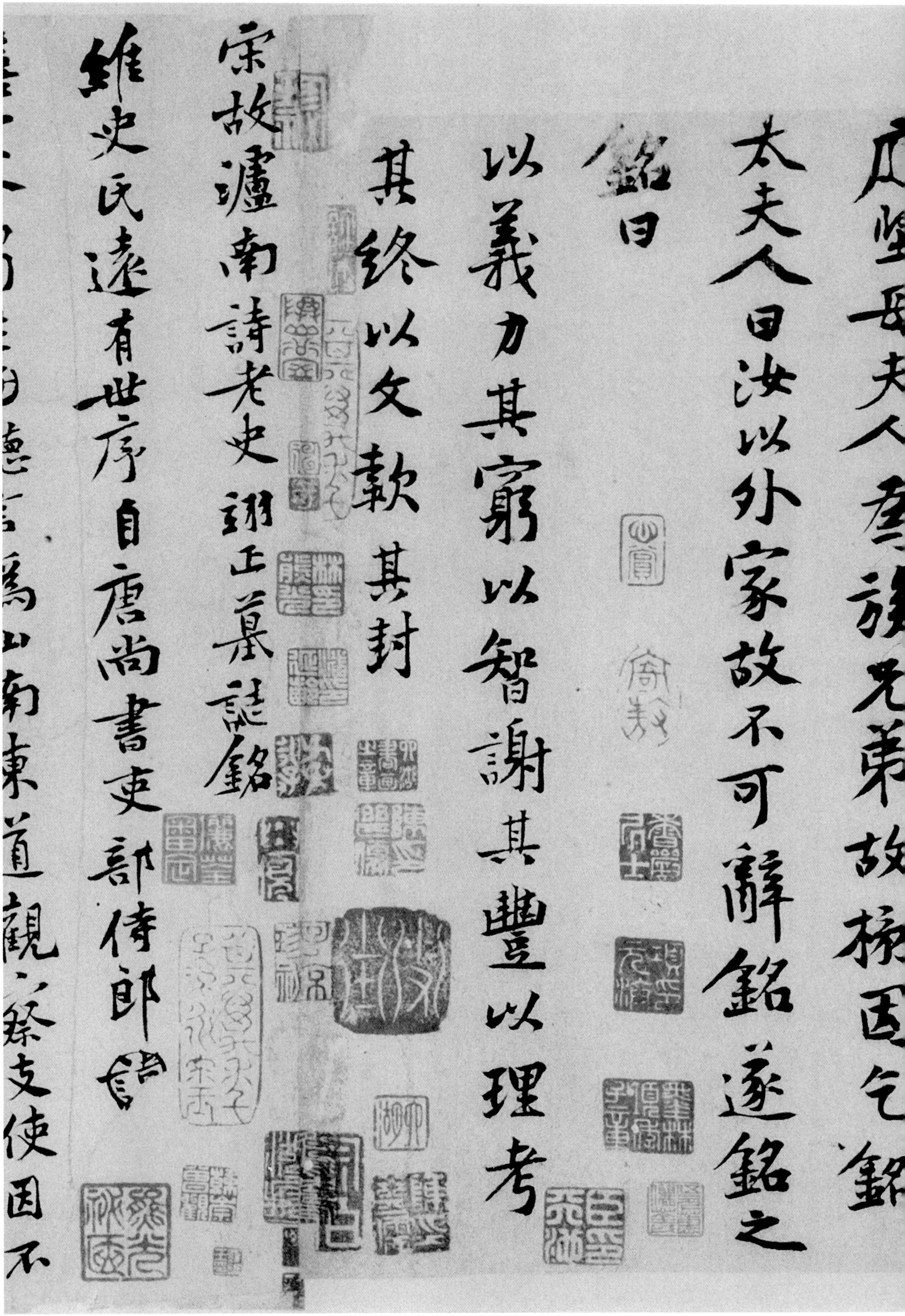

庭堅母夫人爲族兄弟故林因乞銘太夫人曰汝以外家故不可辭銘遂銘之銘曰以義力其窮以智謝其豐以理考其終以文款其封

宋故瀘南詩老史翊正墓誌銘

維史氏遠有世序自唐尚書吏部侍郎□□

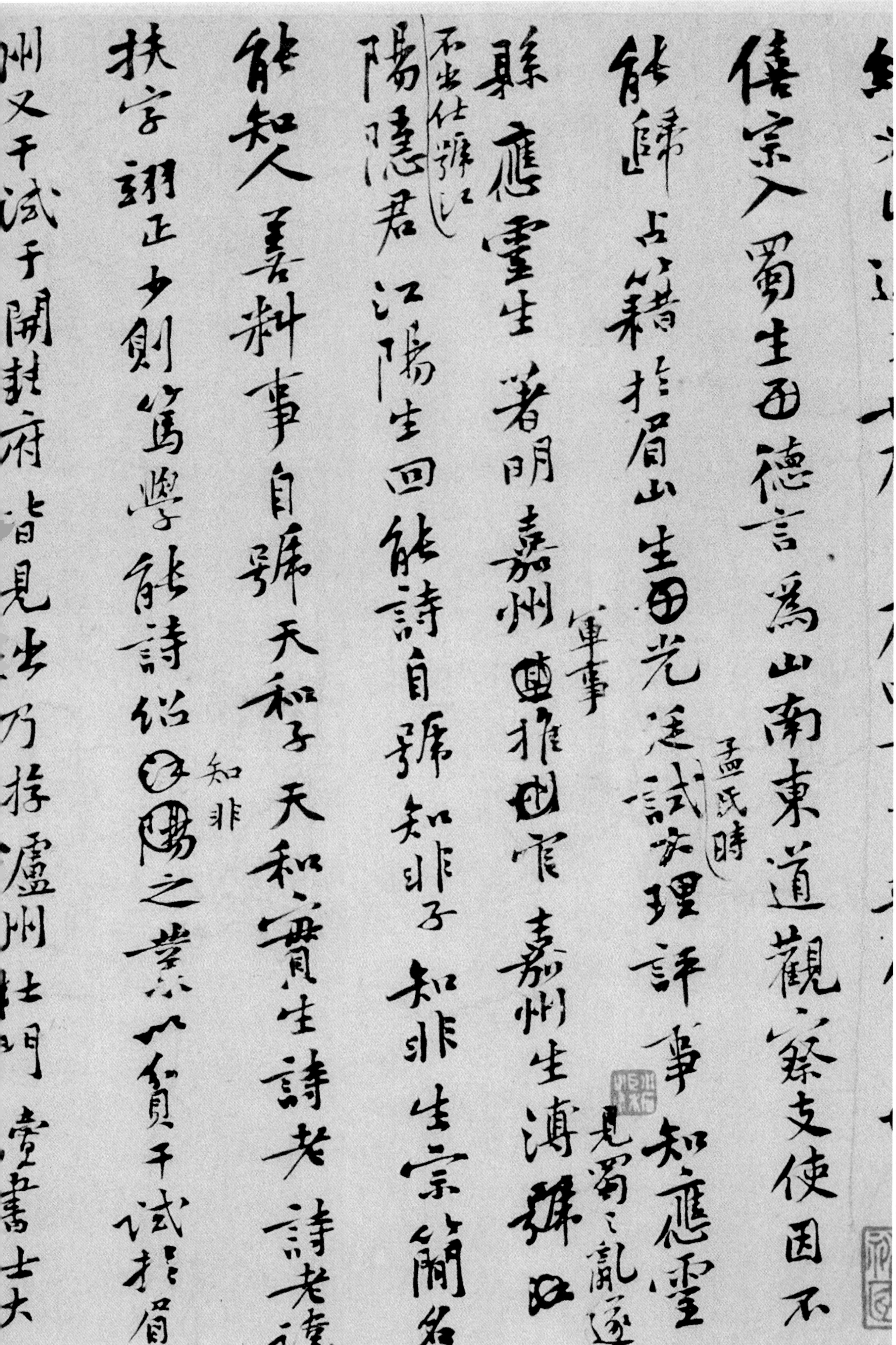

僖宗入蜀生德言爲山南東道觀察支使因不能歸占籍於眉山生光廷孟氏時試大理評事知應靈縣應靈生著明嘉州軍事推官嘉州生溥見蜀之亂遂不出仕號江陽隱君江陽生回能詩自號知非子知非生宗簡名能知人善料事自號天和子天和實生詩老詩老諱扶字翊正少則篤學能詩紹知非之業以貧干試於眉州又干試開封府皆見絀乃游瀘州杜門讀書士大

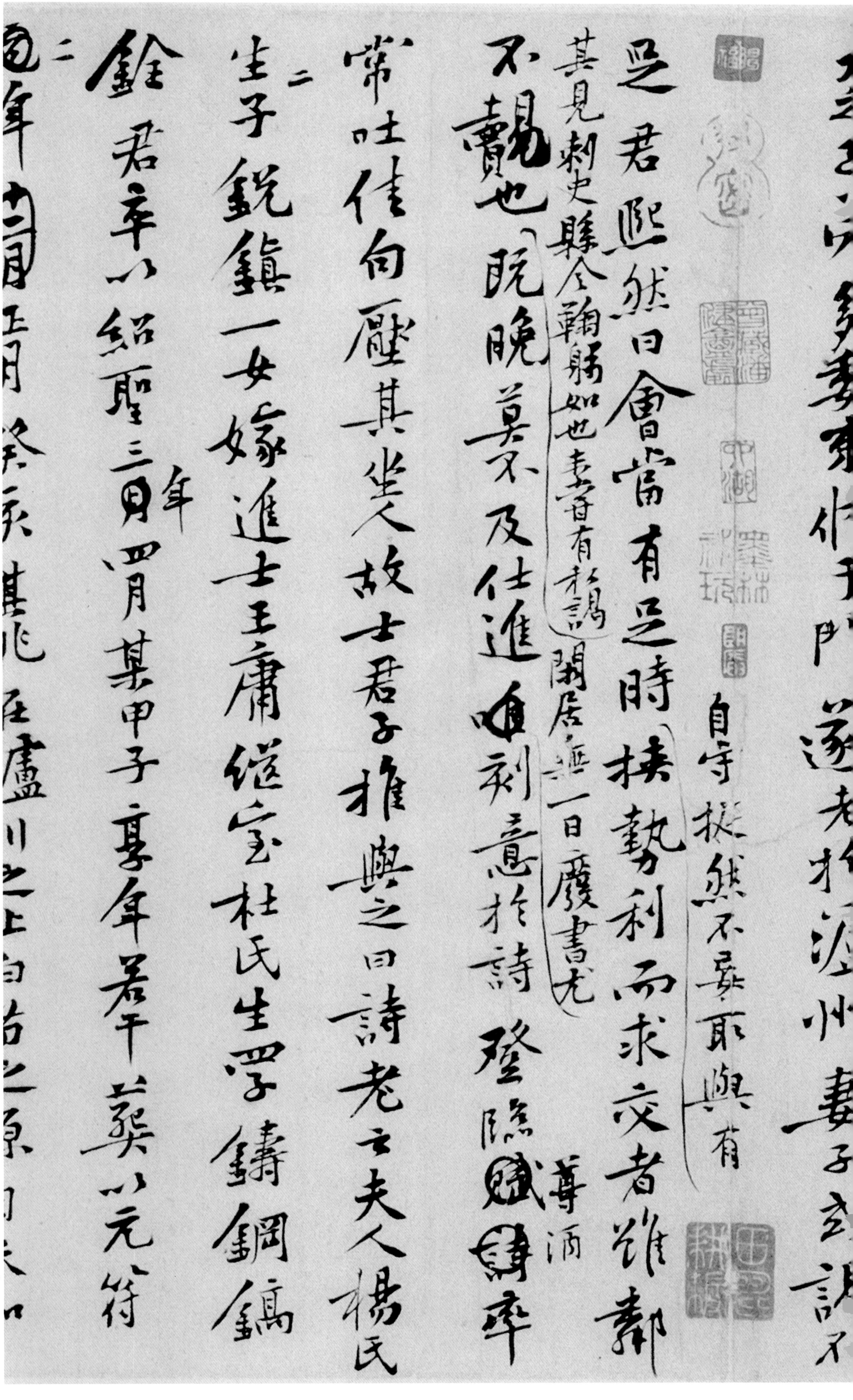

夫之子弟多委束脩于門遂老於瀘州妻子或謁不足君熙然曰會當有足時自守挺然不妄取與有挾勢利而求交者雖鄰不覿也其見刺史縣令鞠躬如也未嘗有私謁既晚莫不及仕進閑居無一日
廢書尤刻意於詩登臨尊酒率常吐佳句壓其坐人故士君子推與之曰詩老云夫人楊氏生二子鋭鎮一女嫁進士王庸繼室杜氏生四子鑄鋼鎬銓君卒以紹聖三年四月某甲子享年若干葬以元符

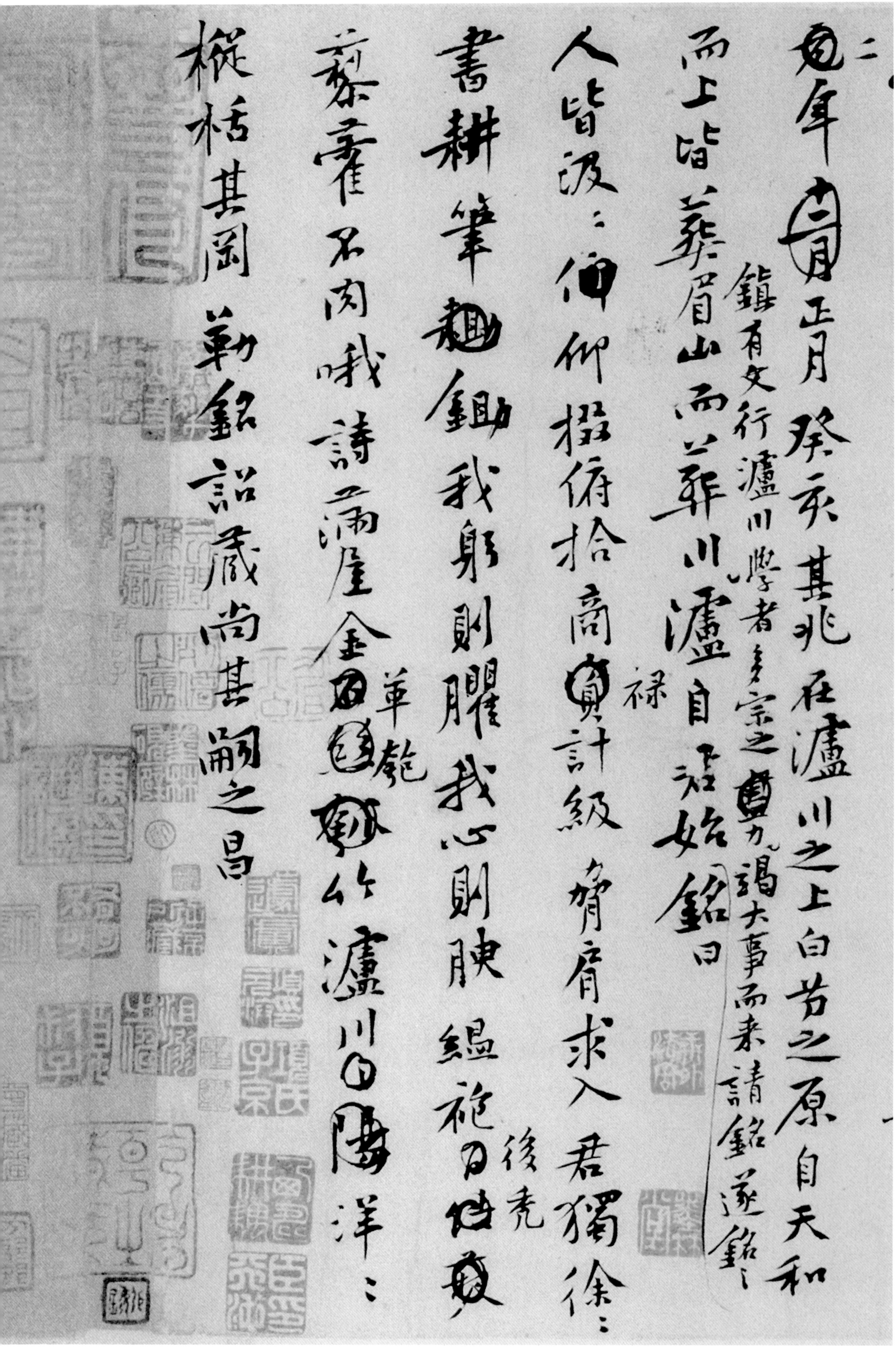

二年正月癸亥其兆在瀘川之上白芳之原自天和而上皆葬眉山而葬川瀘自君始鎮有文行瀘川學者多宗之竭力大事而來請銘遂銘之銘曰人皆汲汲仰掇俯拾
商禄計級脅肩求人君獨徐徐書耕筆鋤我躬則臞我心則腴緼袍後禿藜藿不肉哦詩滿屋金革匏竹瀘川洋洋樅栝其岡勒銘詔藏尚其嗣之昌

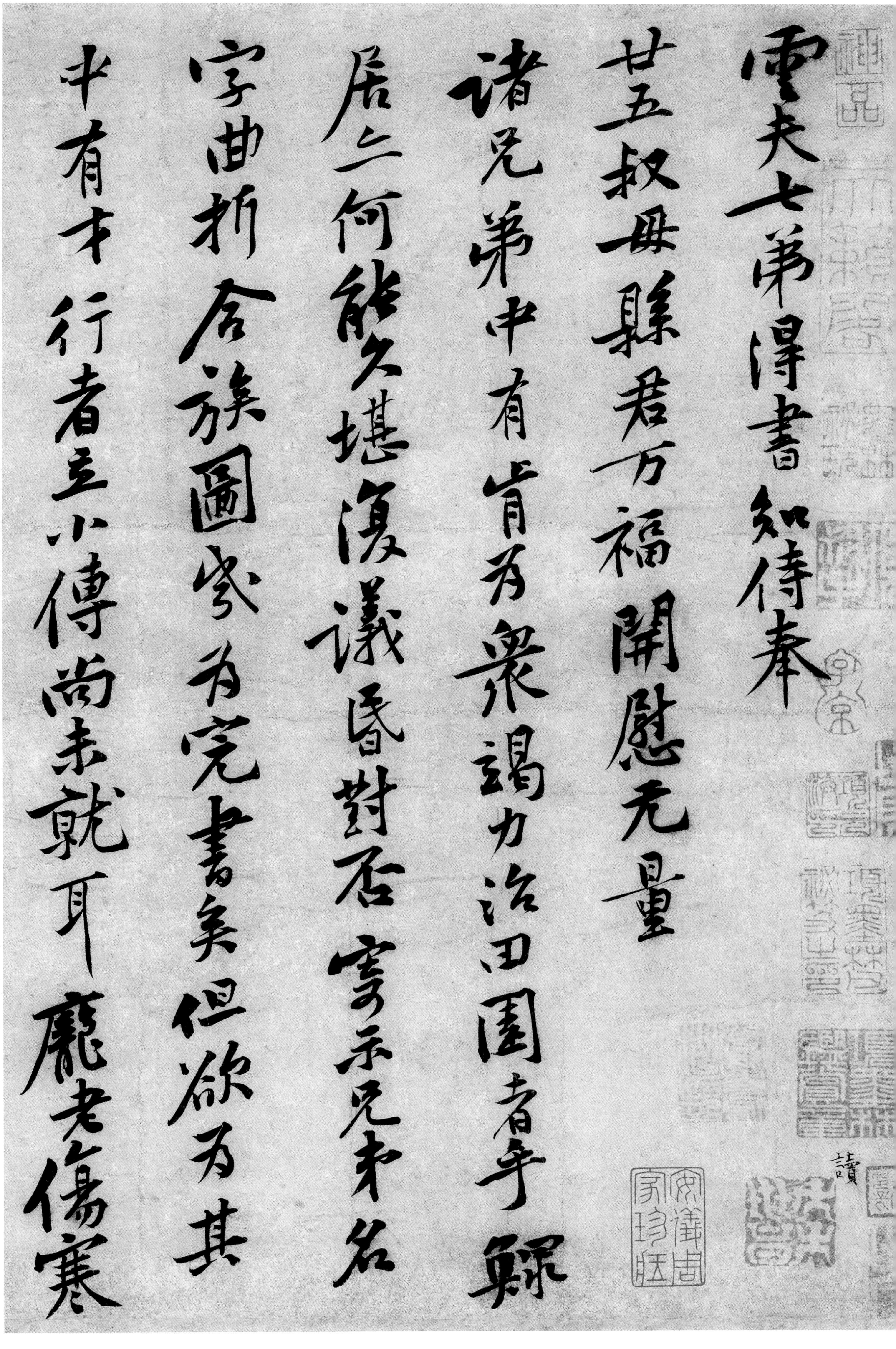

尺牘・致雲夫七弟

雲夫七弟得書知侍奉廿五叔母縣君万福開慰无量諸兄弟中有肯为衆竭力治田園者乎鰥居亦何能久堪復議昏對否寄示兄弟名字曲折合族圖幾为完書矣但欲为其中有才行者立小傳尚未就耳龐老傷寒

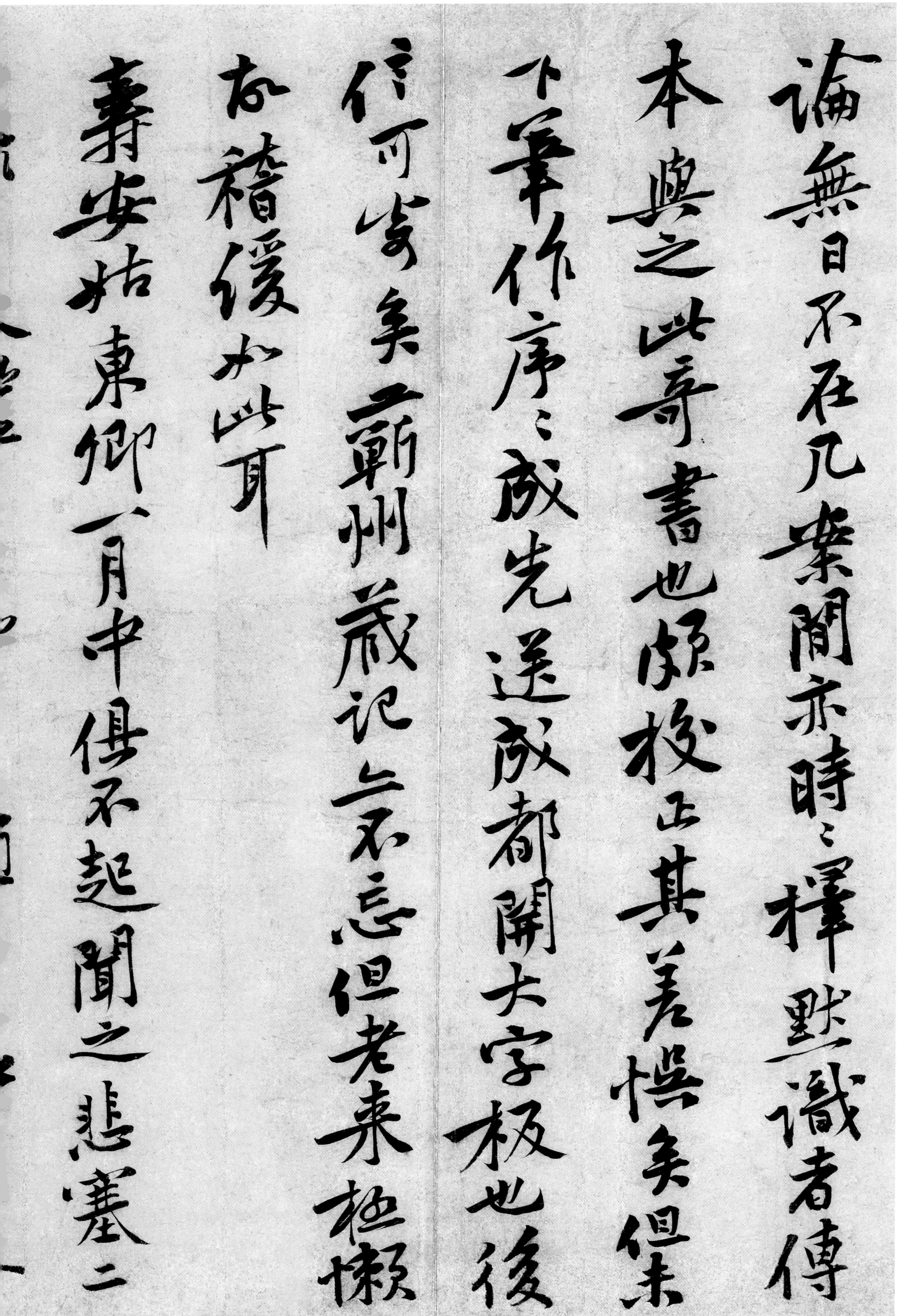

論無日不在几案間亦時時擇默識者傳本與之此奇書也頗校正其差誤矣但未下筆作序序成先送成都開大字板也後
信可寄矣蘄州藏记亦不忘但老來極懶故稽緩如此耳壽安姑東卿一月中俱不起聞之悲塞二

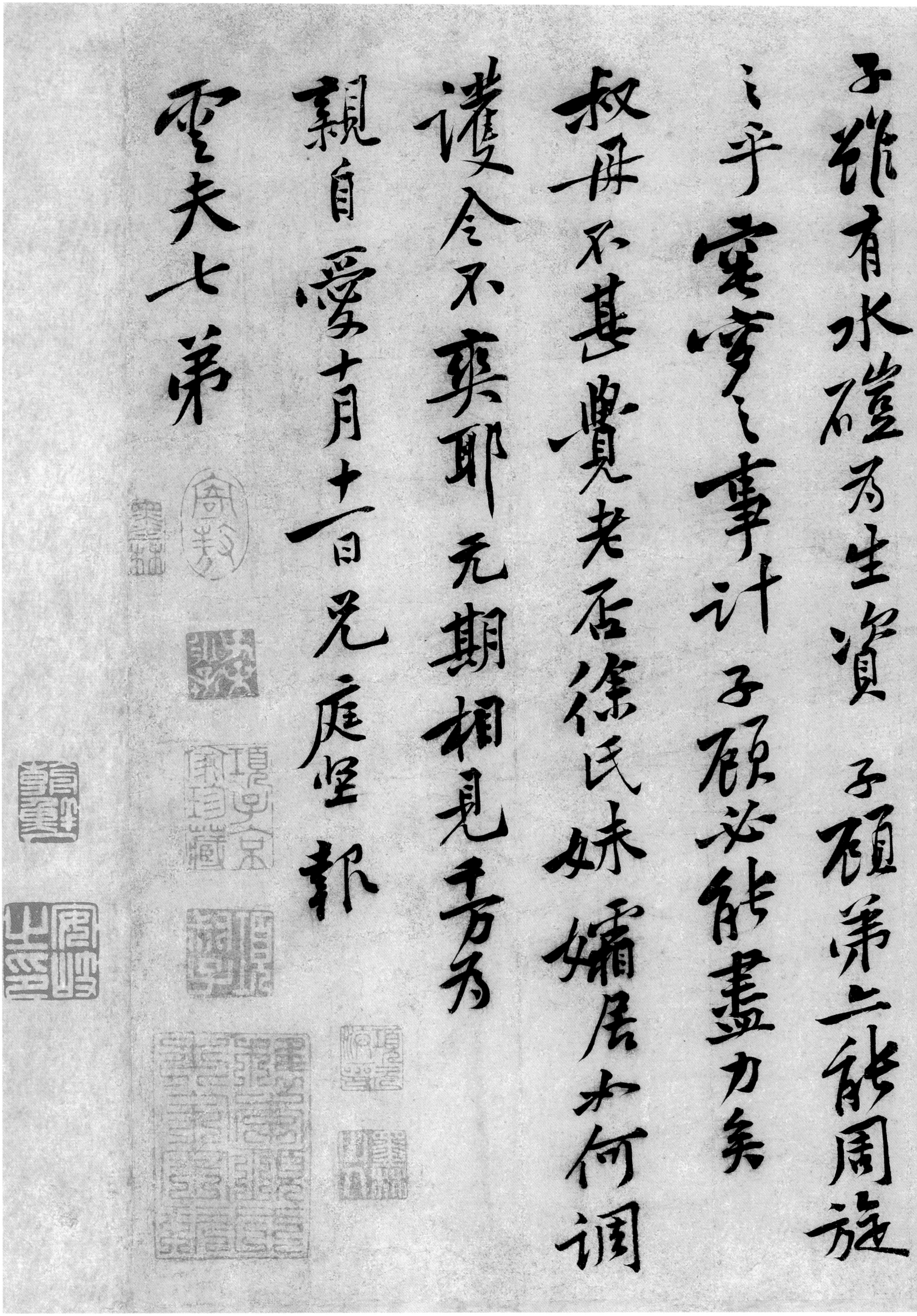

子雖有水磑爲生資子顧弟亦能周旋之乎窀穸之事計子顾必能盡力矣叔母不甚覺老否徐氏妹孀居如何调護令不爽耶无期相見千万为親自愛十月十一日兄庭堅報雲夫七弟

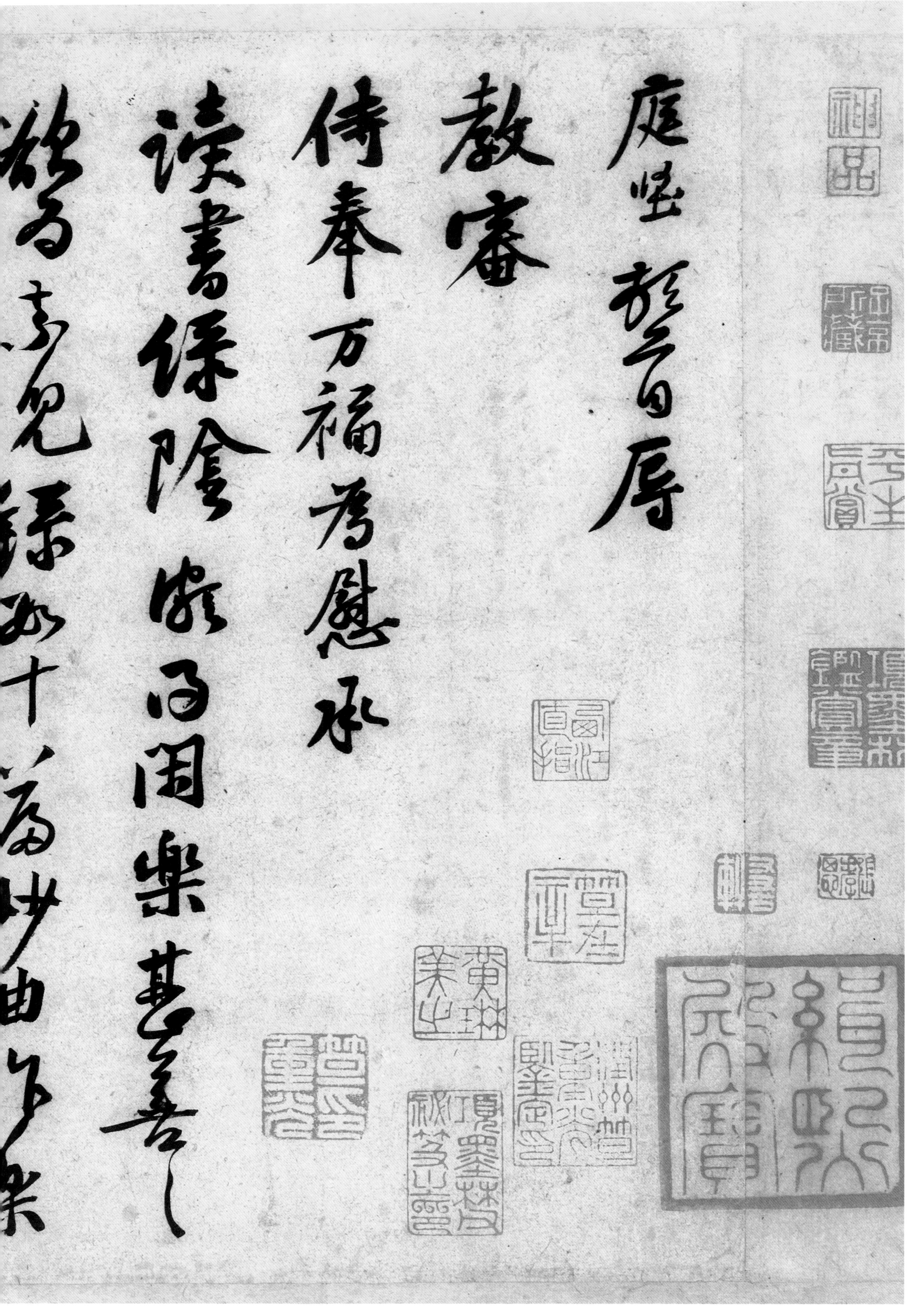

庭堅頓首辱教審侍奉万福爲慰承讀書緑陰頗得閑樂甚善甚善欲为索兒録數十篇妙曲作樂

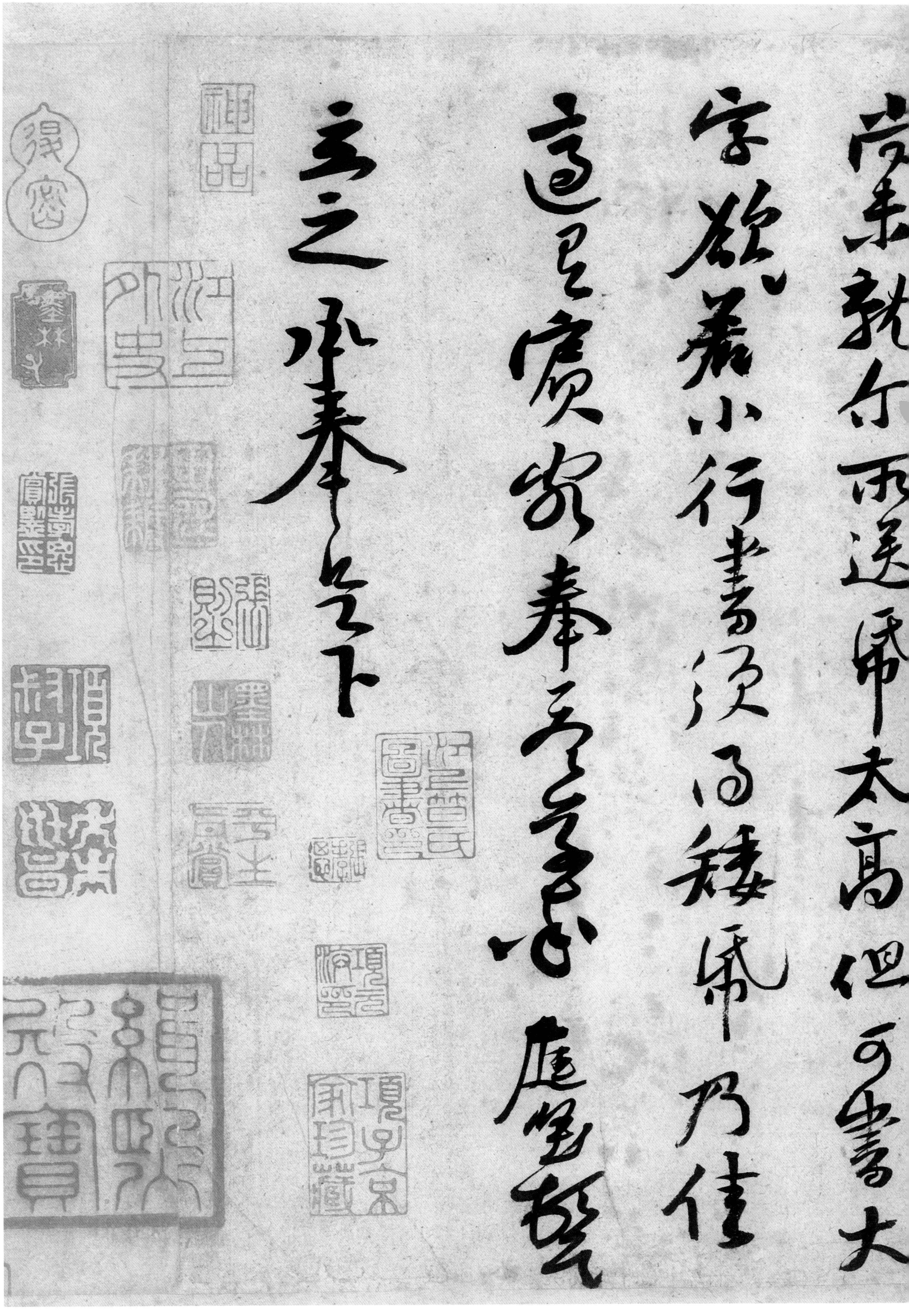

尚未就尔所送帋太高但可書大字若欲小行書須得矮帋乃佳適有賓客奉答草率庭堅頓首立之承奉足下

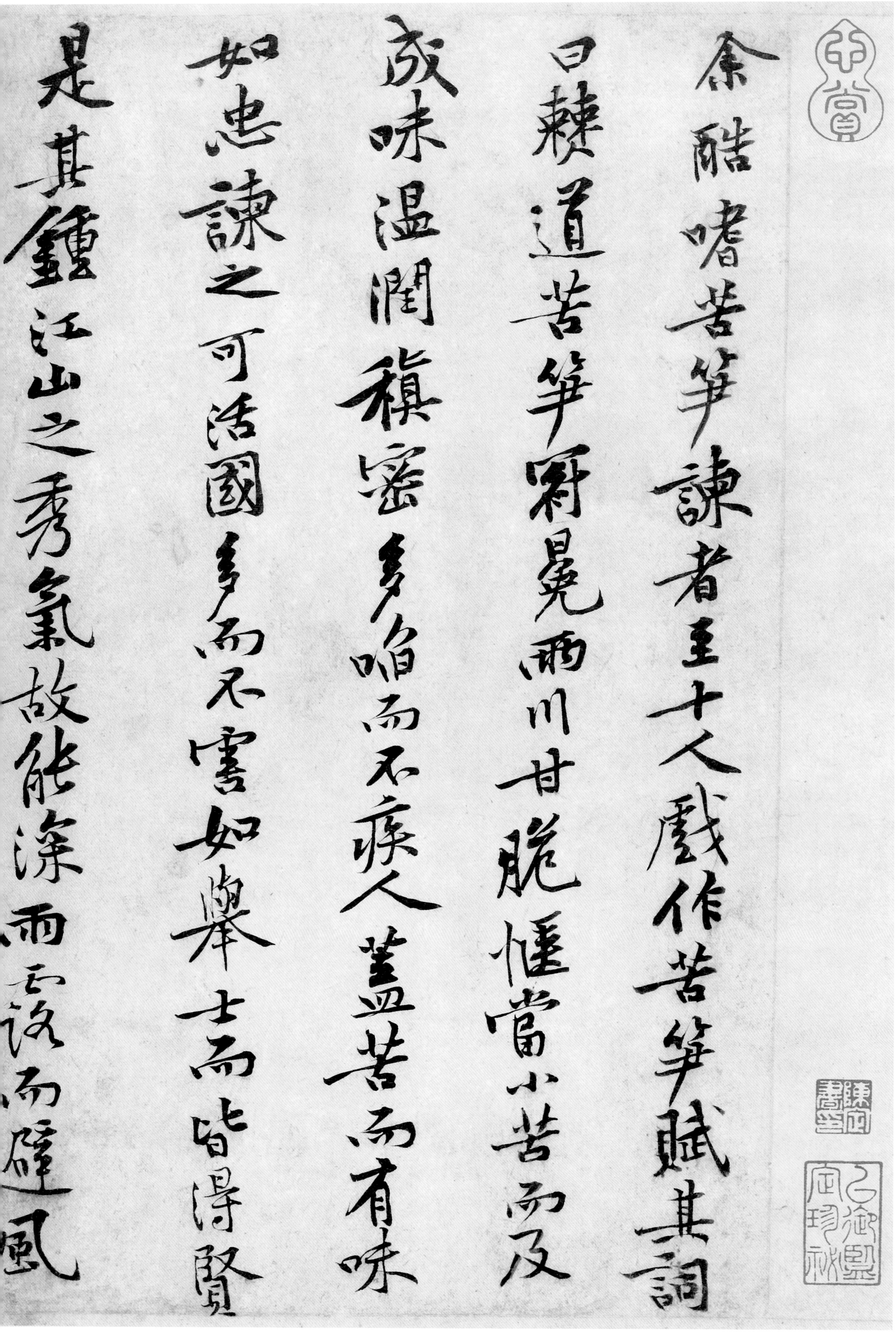

苦笋賦

余酷嗜苦笋諫者至十人戲作苦笋賦其詞曰僰道苦笋冠冕兩川甘脆愜當小苦而及成味温潤稹密多啗而不疾人蓋苦而有味
如忠諫之可活國多而不害如舉士而皆得賢是其鍾江山之秀氣故能深雨露而避風

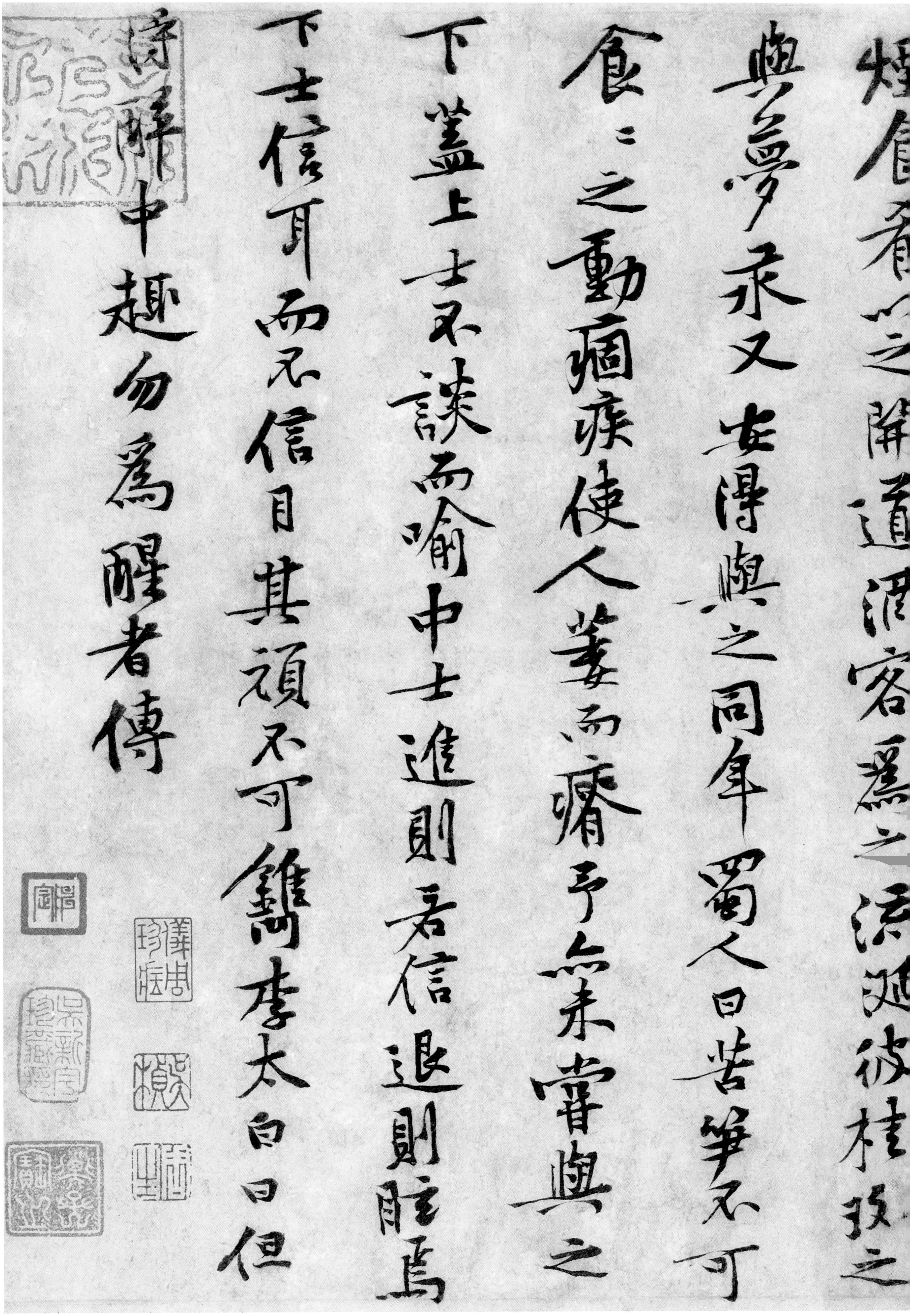

煙食肴以之開道酒客爲之流涎彼桂玫之與夢汞又安得與之同年蜀人曰苦笋不可食食之動痼疾使人萎而瘠予亦未嘗與之
下蓋上士不談而喻中士進則若信退則眩焉下士信耳而不信目其頑不可鐫李太白曰但得醉中趣勿爲醒者傳

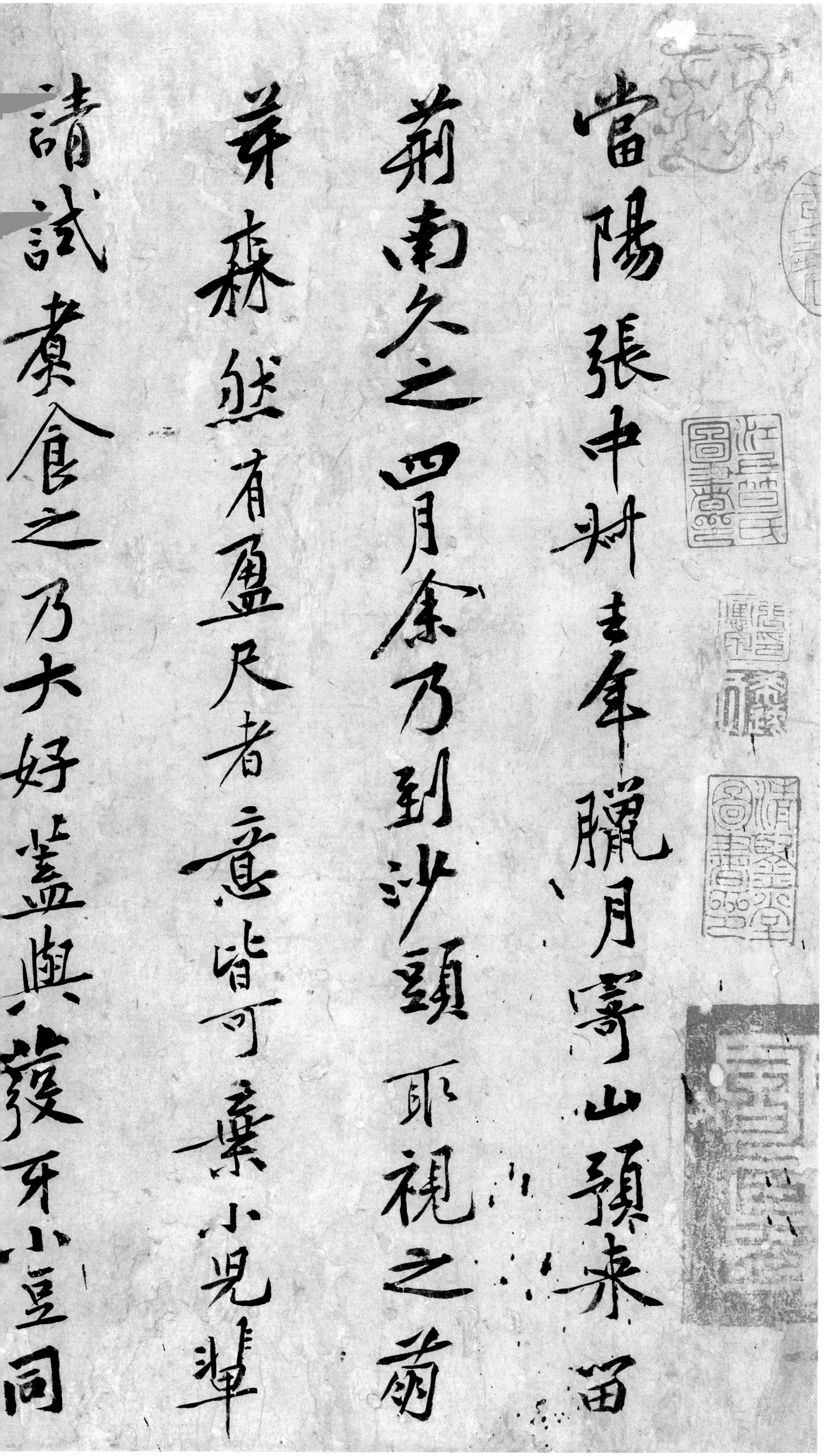

山預帖

當陽張中叔去年臘月寄山預來留荊南久之四月余乃到沙頭取視之萌芽森然有盈尺者意皆可棄小兒輩請試煮食之乃大好蓋與發牙小豆同

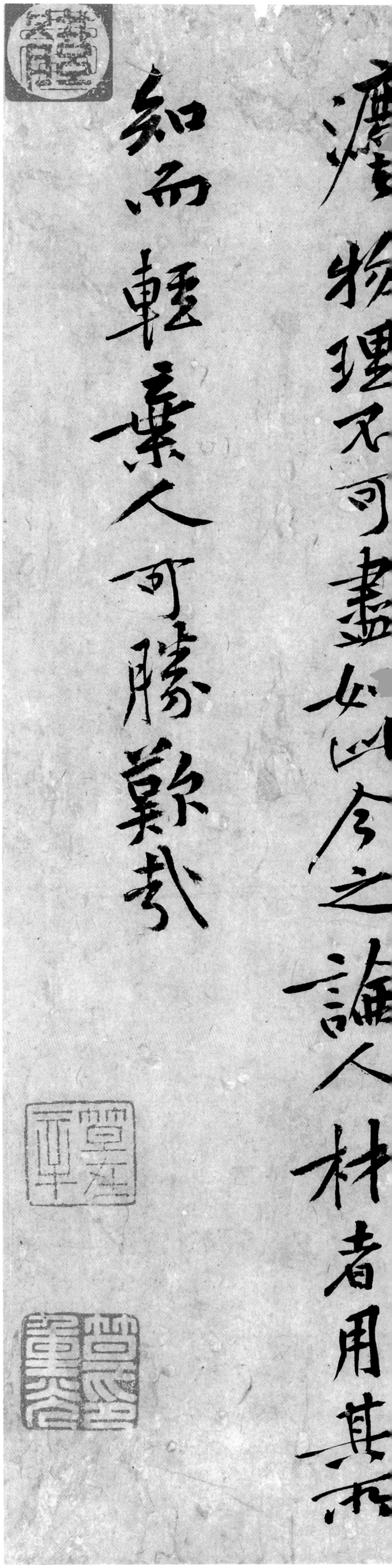

法物理不可盡如此今之論人材者用其所知而輕棄人可勝嘆哉

惟清道人帖

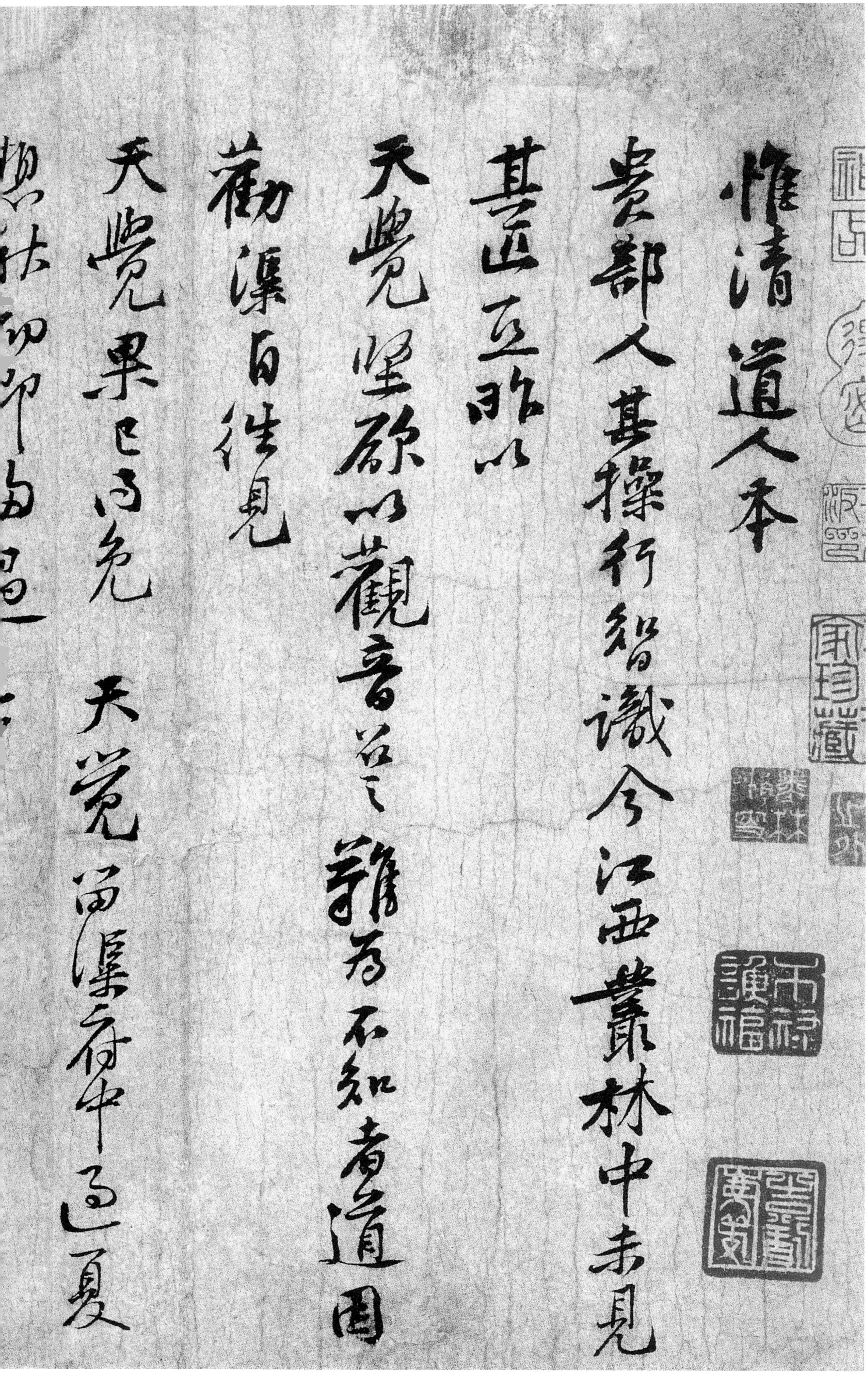

惟清道人本貴部人其操行智識今江西叢林中未見其匹亞昨以天覺堅欲以觀音召之難为不知者道因勸渠自往見天覺果已得免天覺留渠府中過夏想秋初即歸過邑可

邀與款曲其人甚可愛敬也或問清欲於舊山高居築菴獨住不知果然否得渠書頗說後來草堂少淹留也庭堅叩頭

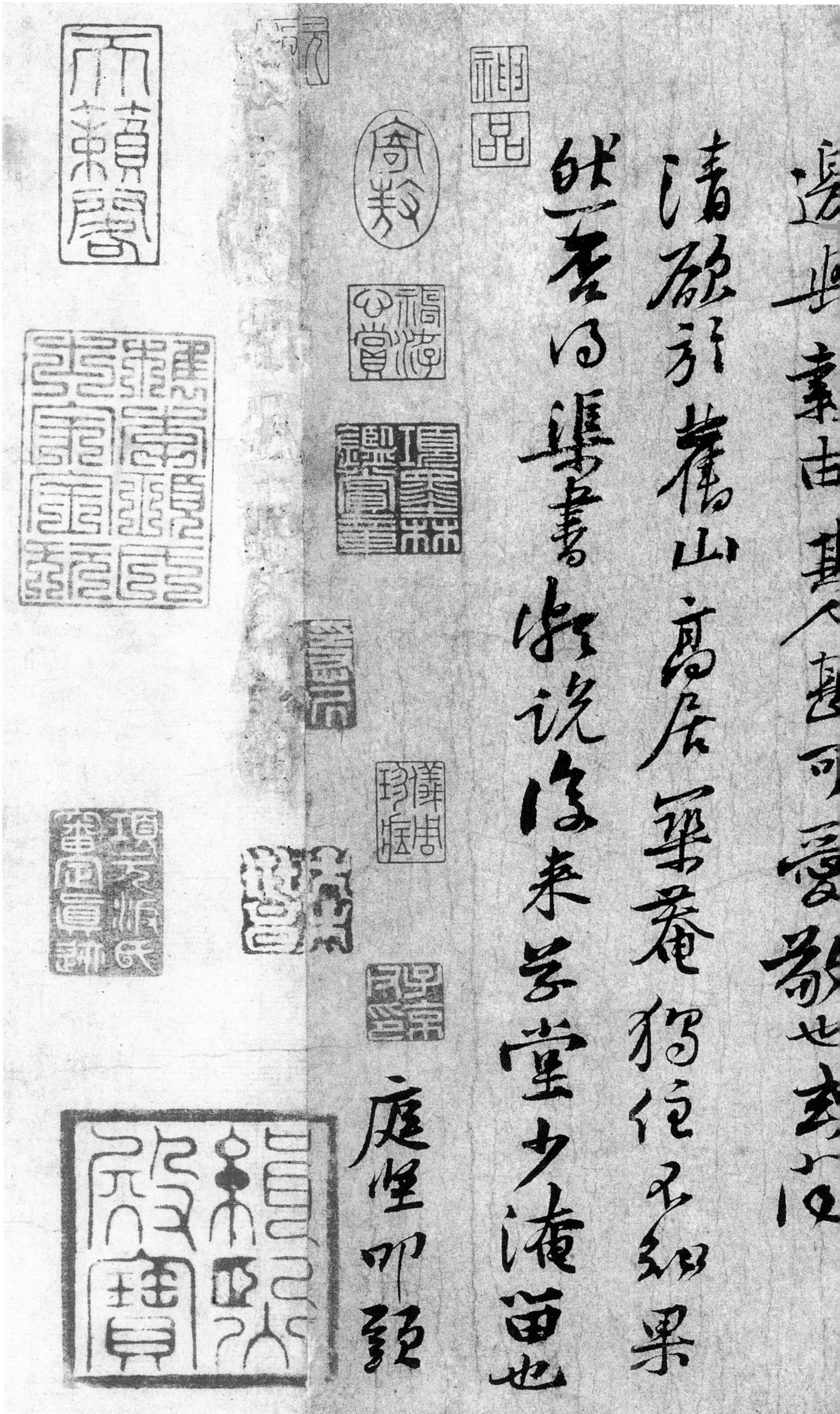

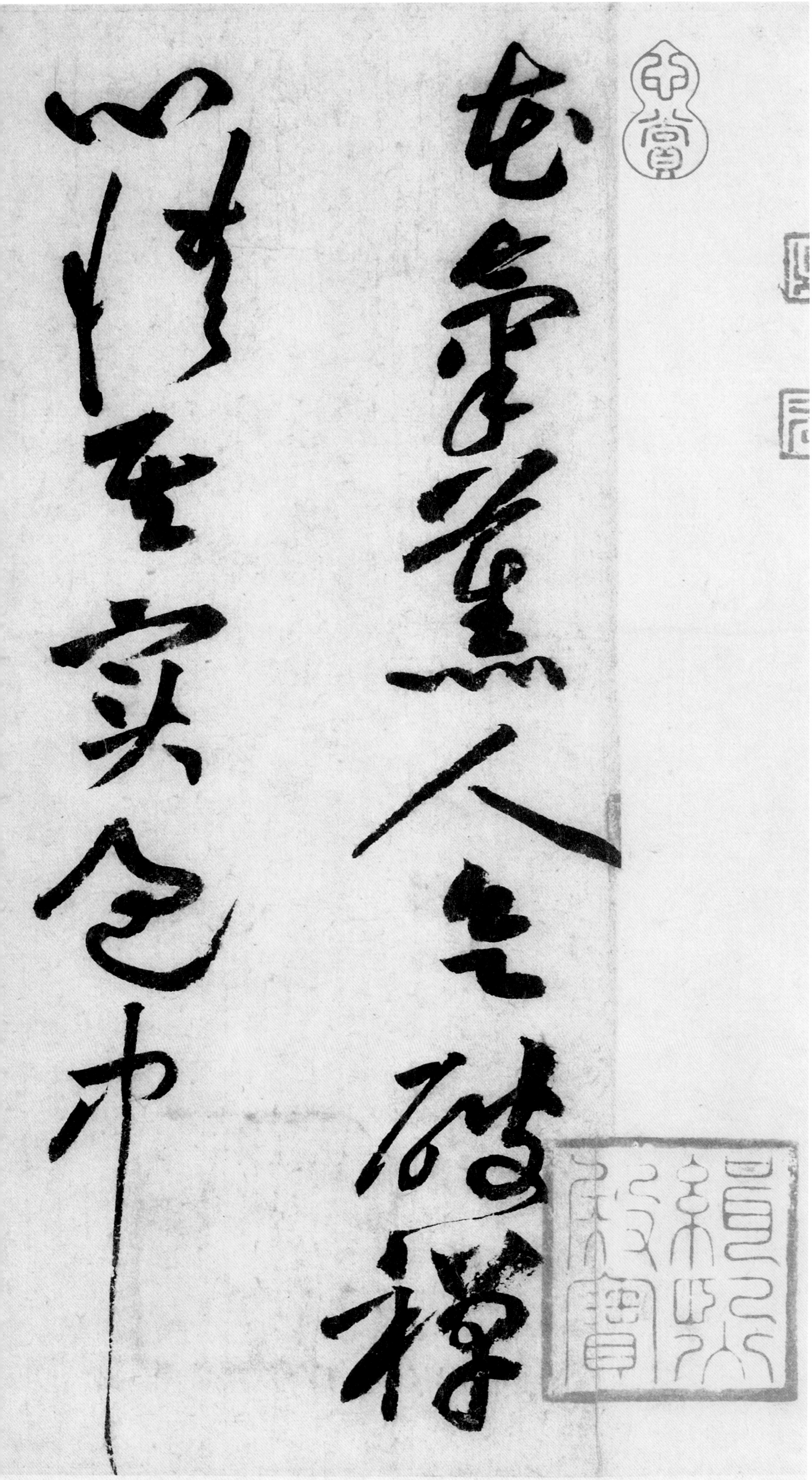

花氣詩帖

花氣熏人欲破禪心情其实過中年春來詩思何所似八節灘頭上水船

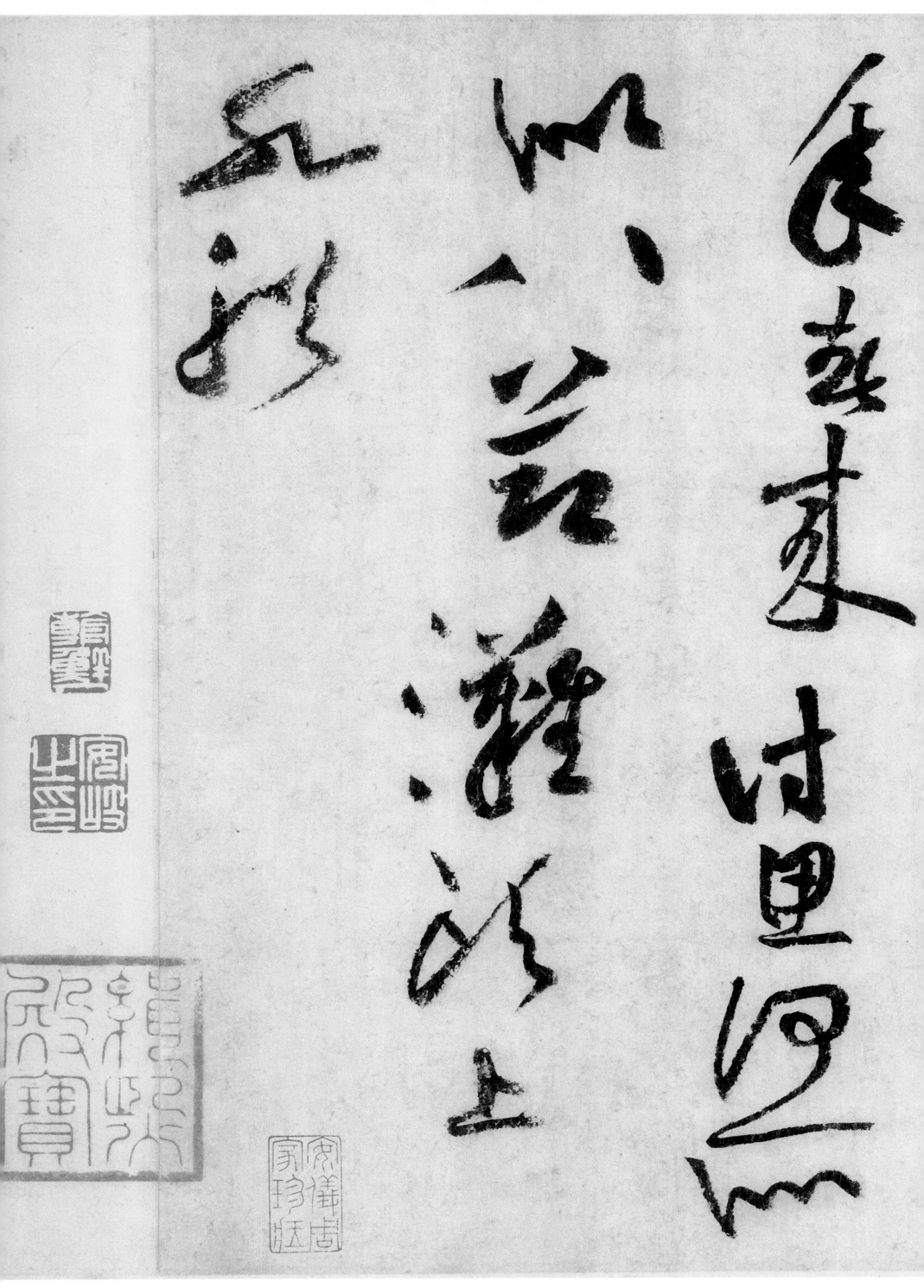

辭寄君千里遙相

憶八言漢沙上

又非

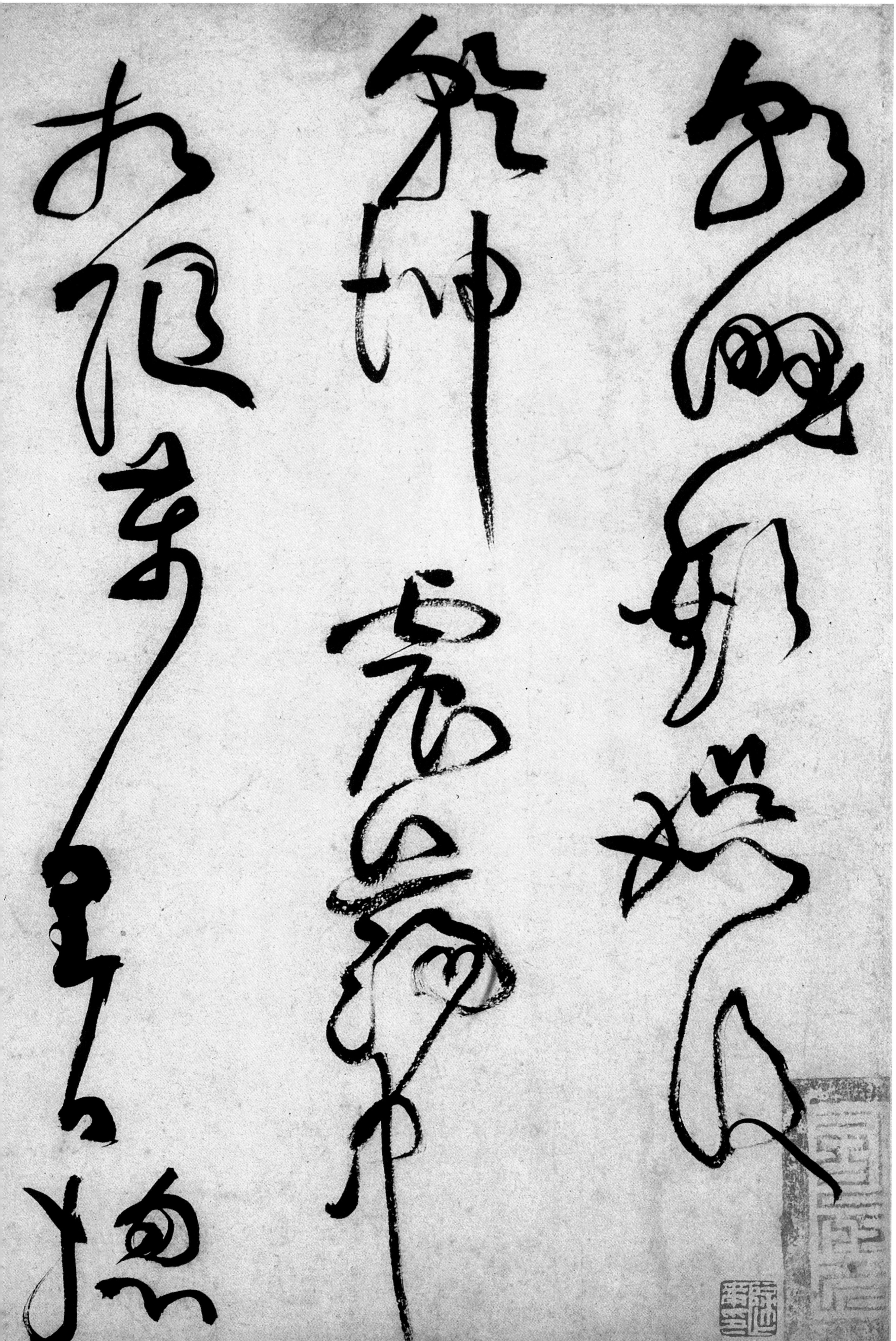

杜甫寄賀蘭銛詩

朝野歡娛後乾坤震蕩中相隨萬里日惣

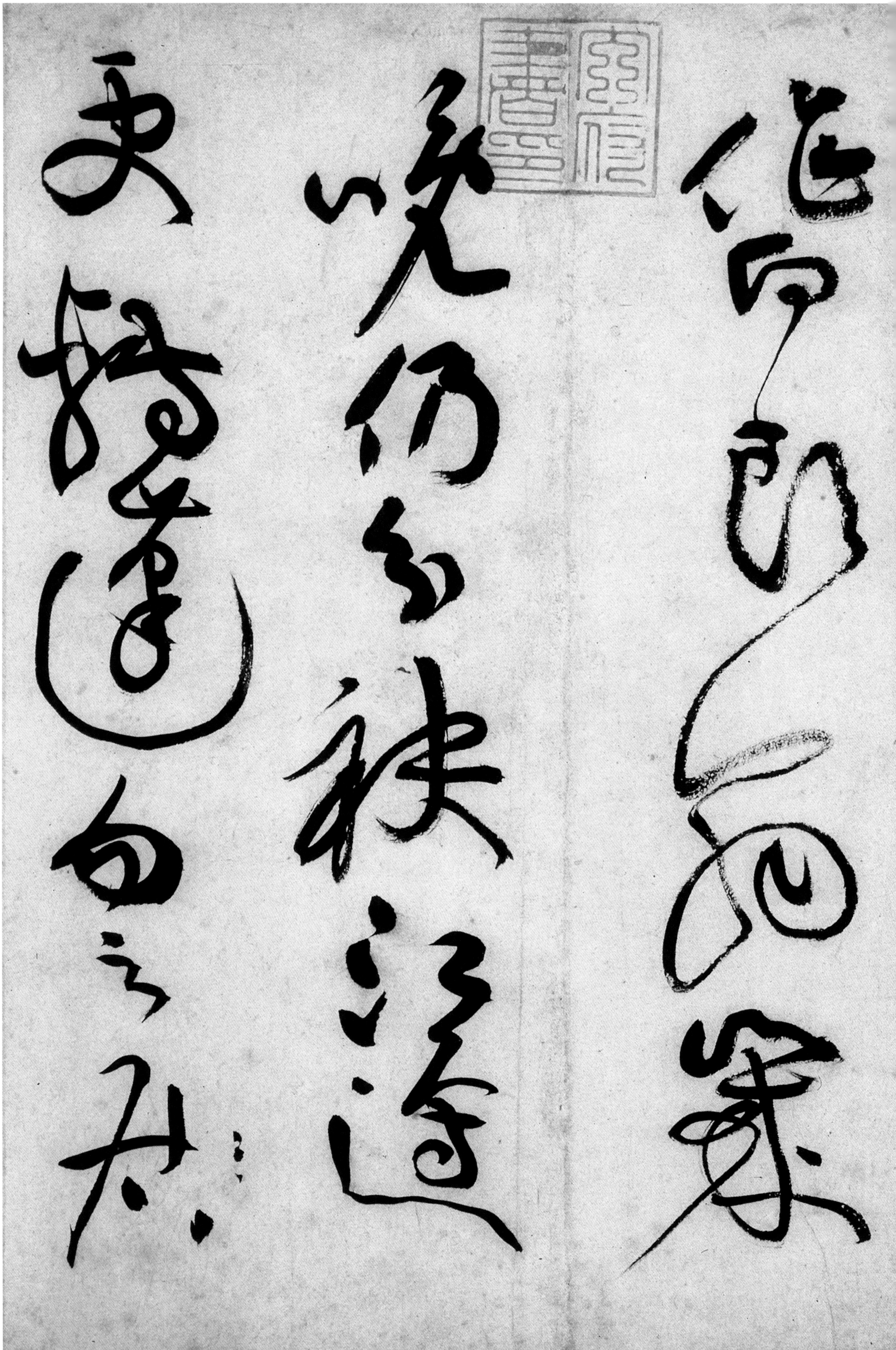

作白頭翁歲晚仍分袂江邊更轉蓬勿云

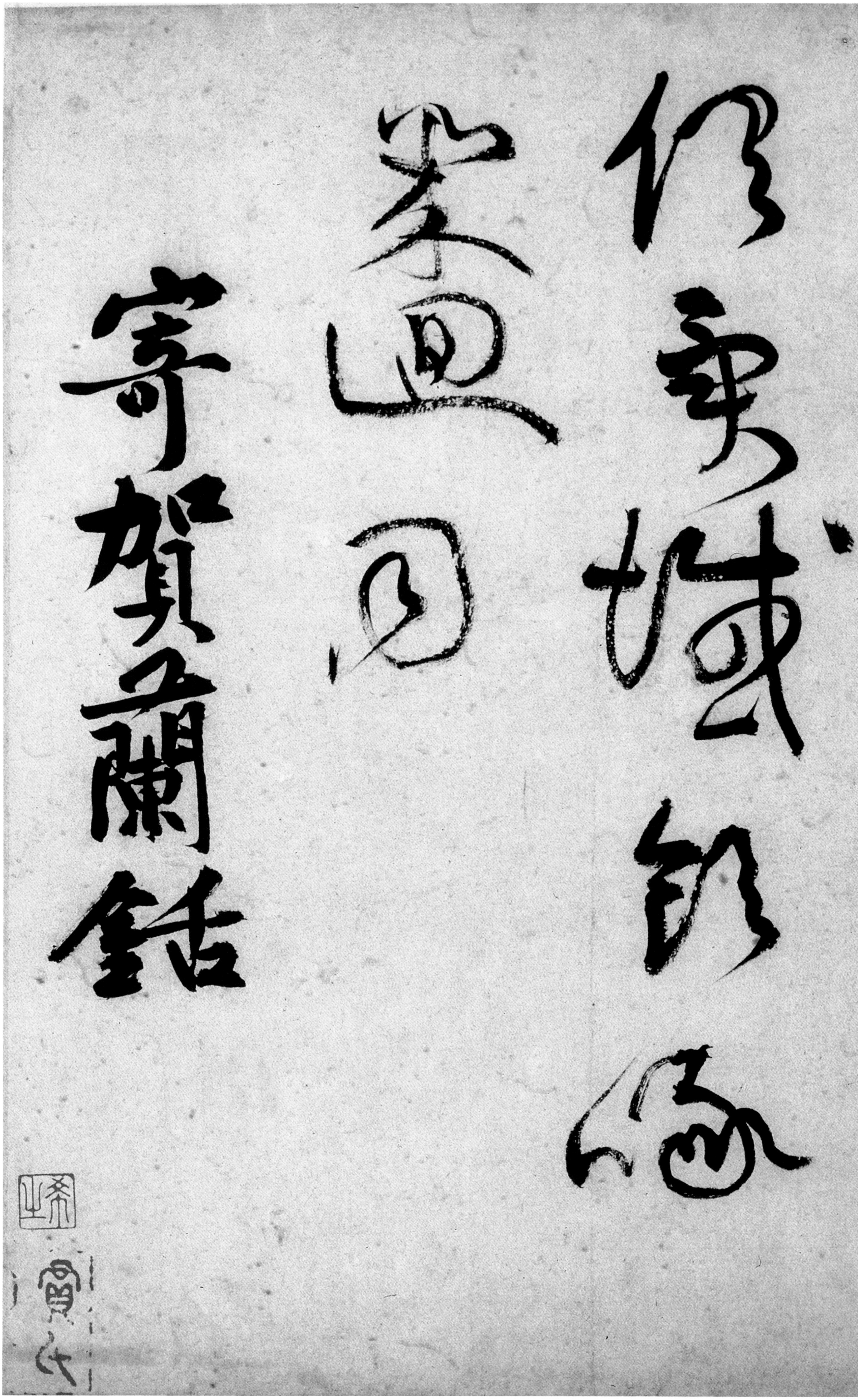

俱異域飲啄幾回同　寄賀蘭銛